关于作者

对孩子来说，童话是一个美好的世界。
热爱童话、经常阅读童话的孩子，会汲取童话世界里美好的东西，永远拥有一颗追求真、善、美的心，变得更加友善和诚信。在全世界范围内，最经典、最被人称赞的童话故事，当属流传了几百年的《格林童话》和《安徒生童话》。

本套书共 30 册，由十几位意大利知名儿童作家执笔，改编了格林兄弟和安徒生所著的、流传最广的经典童话，以及伊索寓言、英国民间故事等人类文学史上的精华作品。语言风格幽默、温暖，插图风格童趣、新奇，更适合学龄前的孩子阅读。

希望孩子们带着微笑和温柔的情感，在生活中学会爱、敢于爱，将善良、勇敢的童话精神永远传承。

关于绘者

意大利版《哈利·波特》绘者赛琳娜·瑞格里媞（Serena Riglietti）等十几位欧洲著名插画家为孩子们精心打造的这套绘本，曾获得"意大利博洛尼亚国际儿童书展插画奖"。画家们用自己非凡的绘画技巧、极富表现力的画风，为孩子们描绘了一个虚幻的童话王国。这些美丽的图画将经典童话的内涵和诗意表达得淋漓尽致，将影响孩子一生的审美和品味。

关于主编

彭懿，教育学硕士，文学博士，儿童文学作家及研究者。先后毕业于复旦大学、日本东京学艺大学及上海师范大学，现任职于浙江师范大学儿童文化研究院。代表作品有《西方现代幻想文学论》《世界幻想儿童文学导论》等，曾获得首届"中国出版政府奖""冰心儿童图书奖""陈伯吹儿童文学奖"等。彭懿老师以自己的经历和智慧，为中国的孩子们翻译了几百本优秀的图画书，他的作品幽默、温暖、充满幻想，曾获得"亚太地区出版者协会翻译奖"。孩子们可以在彭懿老师的带领下，领略世界经典童话的不同风景，感受童话对心灵的启迪和安慰。

百年童话绘本·典藏版 第1辑

杰克和魔豆

Jack and the Beanstalk

彭懿 / 主编

[英]佚名 / 原著

[意]茱莉安娜·葛洛丽 / 改编

[意]茱莉安娜·葛洛丽 / 绘

叶晓雯 / 译

北京联合出版公司
Beijing United Publishing Co.,Ltd.

很久很久以前，有一座小房子，里面住着一个贫穷的寡妇和她的儿子杰克。他们唯一的财富是一头奶牛，不过这头奶牛很老了，已经挤不出牛奶来，于是，寡妇叫杰克去市场上把奶牛卖了。

"妈妈，请您放心，我会找个好农夫，卖个好价钱。"杰克说完便牵着奶牛出门了。

　　杰克走在通往市场的路上，遇到
了一位老人。

　　"我很久没有喝过牛奶了，我这里有
五颗豌豆，可以换你的奶牛吗？"老人问
杰克。

　　杰克觉得这笔交易虽然不划算，但是这位
老人看起来实在很可怜，就拿奶牛换了老人的五
颗豌豆。

9

杰克回到家后，妈妈生气地骂他："一头奶牛却只换了五颗豌豆？我们现在真的什么都没有了！"说完她就生气地把豌豆扔到了窗户外面。

　　没想到，第二天一大早，令人惊讶的景象出现了，院子里竟然长出了一根又高又壮的豌豆茎！

　　"真是太神奇了！这一定是那些神奇的豌豆长出来的。"杰克说完就顺着豌豆茎往上爬，最后他发现自己已经穿越了云层。

在云雾中，一座灰色的城堡慢慢地出现在杰克的眼前。

城门没有上锁，杰克用力地推开城门，一位女巨人出现在他面前，她紧张地说："我丈夫是个可怕的巨人，他会吃小孩，你快走吧！"

杰克害怕地说："可是我已经饿得没有力气了。"

"可怜的孩子，这些东西给你吃，再也不要到这里来了。"

女巨人不但给了杰克一袋面包，还送给他一大袋金币。正当杰克准备离开的时候，外面传来一阵巨大的脚步声。

"快躲起来!" 女巨人赶紧把杰克推进了烤箱里。

就在这时，巨人走进了厨房，他问："怎么有小孩的味道?"

"你别胡思乱想了。" 女巨人说。但巨人还是不死心，他用鼻子在厨房里到处闻着。

15

　　女巨人赶紧替巨人准备了一桌丰盛的美食，还有一大壶酒。巨人一边享用着美食，一边大口地喝酒，渐渐地忘记了刚才的事情。他喝着喝着，腿搭在桌子上睡着了。过了一会儿，城堡里响起了像打雷一样的呼噜声。

杰克悄悄地从烤箱里爬出来，他紧紧地抱着女巨人送给他的东西，头也不回地逃出了城堡。

18

杰克顺着豌豆茎爬回到地面，发现妈妈正焦急地站在下面等他。杰克高兴地把袋子里的金币全倒在妈妈的面前，并把事情的经过说了一遍。有了这些金币，杰克和妈妈终于可以过上好一点儿的日子了。

　　杰克心里非常感激，他很想当面谢谢女巨人，所以决定再去一次云端上的城堡。

　　这一次，杰克没有见到女巨人，却看到了巨人，还有他面前桌子上的一只鸡。杰克完全被眼前的景象吸引住了，因为这只鸡正在下金蛋！

　　巨人发现了杰克，正要抓住他的时候，鸡咕咕咕地从桌子上跳下来，领着杰克往豌豆茎的方向跑去。

　　就这样，杰克带着下金蛋的鸡一起回到了家里。

　　从这天起，杰克家变得非常富有，他们请来木匠换了新的屋顶，还加盖了新的房间。但是，杰克和妈妈没有忘记之前贫穷匮乏的日子，所以他们决定要用目前拥有的一切，来帮助更多需要帮助的人。

日子似乎越来越美好，但是妈妈却越来越不高兴，即使邀请著名的马戏团小丑来表演，妈妈的表情也是悲伤的。原来，妈妈认为应该把这只会下金蛋的鸡还给原来的主人。

　　杰克听了妈妈的话，决定把鸡带回城堡，还给巨人。

一天晚上，杰克鼓起勇气，再一次爬上了豌豆茎，悄悄地潜入了城堡。正当他想要把鸡留下并离开的时候，他看到巨人拿出一把会自动唱歌的竖琴。

令杰克惊讶的是，竖琴的顶端竟然是那个女巨人的脸。听着竖琴甜美的音乐，巨人进入了梦乡。

这时，竖琴看到了杰克。她小声地对杰克说："你可以把我带走吗？我被巨人变成了竖琴，无法变回原来的样子，我也不想再待在这里了。"

　　杰克为了报恩，毫不犹豫地爬上桌子，拿起竖琴就跑。睡梦中的巨人惊醒过来，朝杰克追去。杰克拼命地逃跑，巨人虽然很高大，但是很笨拙，跑得也很慢。这时，竖琴告诉杰克："快把豌豆茎砍断，这样巨人就抓不到我们了。"

　　杰克顺着豌豆茎滑到地面，然后拿起斧头，用尽全身的力气使劲地砍，终于把豌豆茎砍断了。

从此，杰克和妈妈过上了幸福的生活，他们还一直帮助那些需要帮助的人。竖琴每天都弹奏美妙的音乐，让他们的生活更加开心、幸福。

图书在版编目（CIP）数据

杰克和魔豆 /（英）佚名原著；叶晓雯译 . — 北京：北京联合出版公司 , 2016.6
（2017.1重印）
（百年童话绘本：典藏版 / 彭懿主编 . 第 1 辑）
ISBN 978-7-5502-7817-2

Ⅰ . ①杰… Ⅱ . ①佚… ②叶… Ⅲ . ①童话 - 作品集 - 英国 Ⅳ . ① I561.88

中国版本图书馆 CIP 数据核字 (2016) 第 123211 号

企鹅圖書有限公司
Ta Chien Publishing Co., Ltd.

杰克和魔豆

原　　著：[英]佚名
改　　编：[意]茱莉安娜·葛洛丽　　　　主　　编：彭懿
绘　　者：[意]茱莉安娜·葛洛丽　　　　责任编辑：崔保华
译　　者：叶晓雯　　　　　　　　　　　总　策　划：张荣梅
装帧设计：伦洋设计　　　　　　　　　　特约策划：王璐璐

北京联合出版公司出版
（北京市西城区德外大街 83 号楼 9 层　　100088）
天津银博印刷集团有限公司印刷　新华书店经销
字数 119 千字　787 毫米 × 1092 毫米　1/12　18 印张
2016 年 8 月第 1 版　2017 年 1 月第 3 次印刷
ISBN 978-7-5502-7817-2
定价：88.80 元（全 6 册）
